ÉLOGE FUNÈBRE

M. Bernard LÉVY

PRONONCÉ SUR SA TOMBE

PAR M. ALFRED LÉVY

Grand Rabbin de Lyon

———

13 JANVIER 1884

———

ÉLOGE FUNÈBRE

DE

M. Bernard LÉVY

PRONONCÉ SUR SA TOMBE

PAR M. ALFRED LÉVY

Grand Rabbin de Lyon

13 JANVIER 1884

ÉLOGE FUNÈBRE

DE

M. Bernard LÉVY

MESSIEURS,

Avant que cette tombe entr'ouverte ne se referme
pour toujours sur la dépouille corporelle de notre
frère, qu'une mort prématurée enlève à l'amour de
sa famille, laissez-moi vous exprimer les regrets
profonds que cette séparation nous inspire et les
réflexions que nous suggère cette perte sensible,
s'ajoutant à celle que notre Communauté vient
d'éprouver récemment.

Mes frères, un de nos sages, en présence de
l'affliction générale que provoquait la mort d'un de
ses semblables, émettait, un jour, cette pensée :

בכו לאבלים ולא לאבידה שהיא למנוחה ואנו לאנחה

« Pleurez sur ceux qui restent et sont plongés
« dans le deuil, et non sur celui qui n'est plus.
« A lui l'éternel repos, aux survivants la tristesse

« et l'angoisse. » Cette pensée s'impose aujourd'hui
à nous dans toute son éloquente vérité. Oui, nous
devons pleurer sur les malheureux affligés, privés
si tôt hélas! de cet objet de leur amour; oui, nous
plaignons de tout notre cœur cette épouse, ces
enfants auxquels la mort ravit celui qui faisait leur
joie, leur consolation, leur force, leur bonheur;
mais, dans cette douloureuse catastrophe, nous
ne songeons pas trop à plaindre l'homme de bien
qui n'est plus, car, si Dieu l'a rappelé si tôt à lui,
c'est qu'il l'aimait, qu'il connaissait ses qualités
et ses mérites, qu'il savait que, dans la carrière
relativement limitée qu'il lui avait permis de fournir,
il avait parfaitement rempli la mission de perfection-
nement pour laquelle il nous envoie sur cette terre.
Sans doute, mes frères, le défunt aurait pu vivre
bien des années encore, jouir longtemps encore du
fruit de ses labeurs, savourer longtemps encore les
joies de la famille auxquelles il avait droit par son
dévouement et sa tendresse envers les siens. Mais
qu'est-ce donc que ce bonheur terrestre, mélangé
toujours de soucis, de préoccupations, de regrets,
en comparaison de la félicité ineffable que Dieu
réserve, dans un monde meilleur, à l'âme vertueuse
qui remonte à lui, enrichie des bonnes œuvres

qu'elle a effectuées, des bienfaits qu'elle a semés autour d'elle ? Et cette félicité est déjà le partage de notre frère, car sa vie tout entière peut se traduire ainsi : travail, piété, dévouement.

Le travail ! Le défunt a professé pour lui un véritable culte. Dès sa plus tendre jeunesse jusqu'au jour où, terrassé par un mal implacable, il dut abandonner le champ d'honneur où s'étaient exercés ses laborieux efforts, il a travaillé avec une énergie admirable, une activité toujours croissante, s'élevant par degrés, et à travers des obstacles courageusement surmontés, à une situation prospère, d'autant plus heureuse qu'elle lui permit de fournir à des centaines d'ouvriers une source féconde de subsistance.

Nature intègre et loyale, d'une justice, d'une franchise extrêmes, marchant sans cesse dans le chemin du devoir, notre frère se distingua surtout par sa charité envers ceux qui souffrent. Se rendre utile à ses semblables était pour lui un besoin, un bonheur. Que de services rendus, que de preuves d'abnégation nous pourrions relever dans cette existence si noblement remplie ! Ces sentiments de bienveillance, de philanthropie, il les exerçait envers son prochain sans acception de croyances ni de cultes, estimant que nous sommes tous frères,

enfants du même père ; et en cela, il était vérita-
blement israélite, car notre religion est avant tout
une doctrine de charité et d'amour.

Cette belle et antique religion d'Israël, il la servit
constamment de toutes ses forces en fils aimant et
respectueux. De tous les membres qui la composent,
notre Communauté n'en comptait pas de plus
dévoué, s'intéressant avec une plus ardente passion
à sa prospérité, à ses progrès. Appelé à l'honneur
de l'administrer, il allait prendre à l'œuvre commune
une part active et profitable à tous. La Providence
en a décidé autrement. Au nom de ses honorables
collègues, en notre nom personnel, nous le remer-
cions de tout le bien qu'il se proposait d'effectuer et
dont il nous entretenait sur son lit de douleur ; son
souvenir sera pour notre nouvelle Commission un
stimulant précieux et la soutiendra dans la mission
toute de dévouement qu'elle a assumée.

Vous parlerai-je de ses vertus privées ? Entrerai-je
dans le sanctuaire de la famille pour vous montrer
l'époux, le père, déversant sur sa compagne, sur
ses enfants les trésors de bonté, de sollicitude que
son âme recélait ? A ce souvenir le cœur se brise ;
insister sur de telles blessures, c'est les élargir et les
envenimer.

Je m'arrête donc, en résumant, par cet hommage suprême, l'éloge que je viens de faire du défunt : Bernard Lévy a bien mérité de Dieu et de ses semblables. Il a été un homme de bien, un artisan laborieux de sa fortune, un cœur charitable et dévoué, un croyant convaincu, le meilleur des époux et des pères : sa mémoire restera gravée dans les cœurs.

Repose en paix, ô mon frère bien-aimé ; ton âme, débarrassée des liens terrestres, est remontée à son divin Père. Du haut du ciel, patrie des bienheureux, n'oublie pas ceux dont la mort te sépare momentanément. Prie pour ta famille, pour tes amis, pour notre Communauté, pour Israël, pour tous nos frères en l'humanité !

AMEN !

Lyon. — Imp. Schneider frères.

LYON. — IMP. SCHNEIDER FRÈRES.

Imprimé en France
FROC021703210120
23239FR00024B/674/P